Le loup
qui s'aimait beaucoup trop

Texte de Orianne Lallemand
Illustrations de Éléonore Thuillier

AUZOU

« Oh, comme je suis beau ! Comme je suis fort !
chantonne Loup ce matin-là en s'admirant devant son miroir.
Cette année, c'est certain, c'est moi qui vais gagner
le concours du Plus Grand Méchant Loup ! »
Pour remporter le concours, il faut être le plus costaud,
le plus rapide, le plus adroit et le plus méchant, évidemment !

Moi

Épreuve n°1

C'est maître Hibou qui arbitre les épreuves.

« Épreuve n°1, annonce-t-il, être le plus costaud. Soulevez-moi ce gros tronc-là. »

4

Les loups s'avancent. Gros-Louis réussit,
mais Joshua manque de se faire écraser.
« Quel nigaud ! se moque Loup, regarde
plutôt comment font les vrais costauds ! »
Et il soulève fièrement le tronc bien
au-dessus de lui.

« Épreuve n°2, dit le hibou, être le plus rapide.
Faites-moi cinq fois le tour de la forêt.
À vos marques, prêts, partez ! »

Épreuve n°2

Les loups s'élancent. Alfred est en tête, mais Loup le rattrape
et lui fait un croche-patte ! Déséquilibré, Alfred s'étale sur le sentier.
« Bien fait ! » rigole Loup, sans s'arrêter.

À l'arrivée, bien sûr, c'est lui qui a gagné.

« Épreuve n°3, dit le hibou, être le plus adroit.
Rapportez-moi trois œufs du poulailler
sans vous faire remarquer. »
Loup veut trop se presser, et, patatras !
Tous ses œufs sont brisés.

« Raté ! dit Valentin en rigolant.
Cette fois, tu ne gagneras pas.
– C'est ce que tu crois, gros bêta ! » répond Loup.
Et il lui vole ses œufs. Le pauvre Valentin reste les pattes vides
sur le sentier. Loup, lui, a encore gagné.

Épreuve
n°3

9

« Dernière épreuve, clame
le hibou, être le plus méchant !
Pour cette épreuve, vous devrez...

Épreuve n°4

10

– C'est Loup le plus méchant,
dit Alfred, je lui laisse ma place,
cela ne m'amuse plus.
– Moi non plus, moi non plus »,
disent les autres loups.

Et tous s'en vont en jetant
des regards dégoûtés à Loup.

« Hé bien, Loup ! fait le vieux hibou d'un air fâché,
on dirait que tu as gagné. Voici ton trophée.
Pourtant tu ne le mérites pas, pouah ! »

Et il disparaît dans les branches.

13

« Youpi ! clame Loup en brandissant son Loup d'or au-dessus de lui.
J'ai gagné, c'est moi le Plus Grand Méchant Loup ! »
Tout à sa joie, Loup fait quelques pas de danse, envoie des baisers,
salue par-ci, salue par-là...

15

Toute la journée, Loup parade et se pavane. Il ne voit pas qu'il s'éloigne beaucoup trop. Quand il s'en aperçoit, il est perdu dans la forêt et il fait nuit.

Tout à coup, Loup se sent beaucoup moins fier de lui.

À pas prudents, Loup avance dans le sous-bois.
« Je suis le meilleur, je n'ai pas peur, dit Loup très fort
pour se rassurer, je vais retrouver mon chemin. »

Soudain, Loup entend un craquement, puis un autre...
Il fait un bond, se prend les pattes dans une branche
et s'étale de tout son long.

Les craquements se rapprochent.
C'est peut-être un braconnier avec un long fusil ?
Ou un monstre horrible qui ne vit que la nuit ?
Affolé, Loup se relève.

« Je suis le plus rapide, je ne crains rien »,
dit-il en prenant ses pattes à son cou.

Mais, quelques pas plus loin, BOUM !

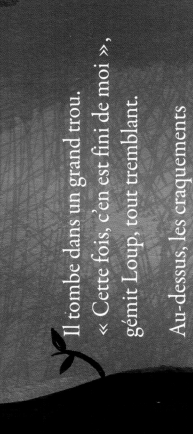

Il tombe dans un grand trou. « Cette fois, c'en est fini de moi », gémit Loup, tout tremblant.

Au-dessus, les craquements recommencent. Quelque chose s'approche et deux gros yeux féroces se penchent au-dessus du trou.

« Maman ! » hurle-t-il terrifié en se jetant sur le sol.

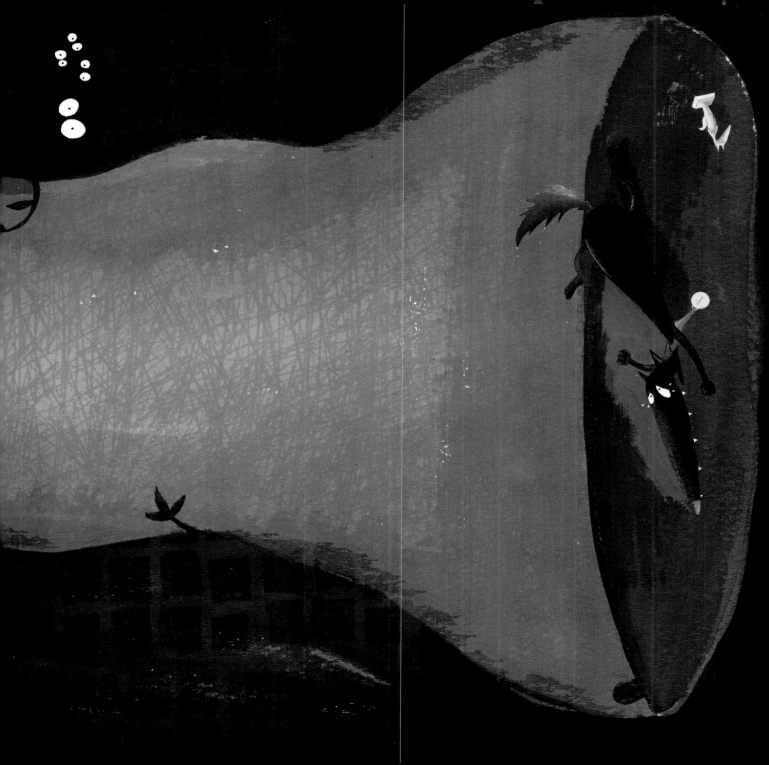

« Ce n'est pas un peu fini tout ce cirque ! »
dit la chose, très en colère.
Loup relève la tête et découvre… maître Hibou !
« Ah ! c'est vous, soupire-t-il, soulagé.
Vous m'avez fait une de ces peurs !
– À cause de toi, répond le hibou,
je viens de perdre mon repas !
– Désolé », murmure Loup, tout penaud.
Mais le hibou, énervé, s'est déjà envolé.

La nuit se passe. Dans son trou, Loup réfléchit.
Il repense à sa journée. Il a vraiment honte de lui.

Au petit matin, des pas s'approchent enfin.

?!

C'est Valentin, le plus malin, qui a retrouvé les traces
de son copain. C'est Joshua, le plus adroit, qui descend
pour l'aider à grimper. C'est Gros-Louis, le plus costaud,
qui les remonte l'un après l'autre.
Et c'est Alfred, le plus rapide, qui les entraîne
à sa suite pour rentrer plus vite à la maison.

Arrivé devant chez lui, Loup dit à ses amis :
« Pardon, j'ai vraiment été...
– Bête, énervant, dit Gros-Louis.

– Prétentieux, tricheur, dit Alfred.
– Mauvais joueur, méchant, dit Valentin.
– Mais on t'aime quand même, va ! » termine Joshua.

Et ça vaut bien tous les Loups d'or du monde, n'est-ce-pas ?

Direction générale : Gauthier Auzou
Direction éditoriale : Florence Pierron
Maquette : Annaïs Tassone
Relecture : Anne Placier
Fabrication : Florent Verlet et Jean-Christophe Collett

© 2010, Éditions Auzou
Droits de traduction et de reproduction réservés pour tous pays.
Loi n°49-956 du 16 juillet 1949 sur les publications destinées à la jeunesse.
Dépôt légal : 3ᵉ trimestre 2010
Ref. : R09733
ISBN : 978-2-7338-1369-0
Imprimé en Chine.

www.auzou.fr

Mes p'tits albums

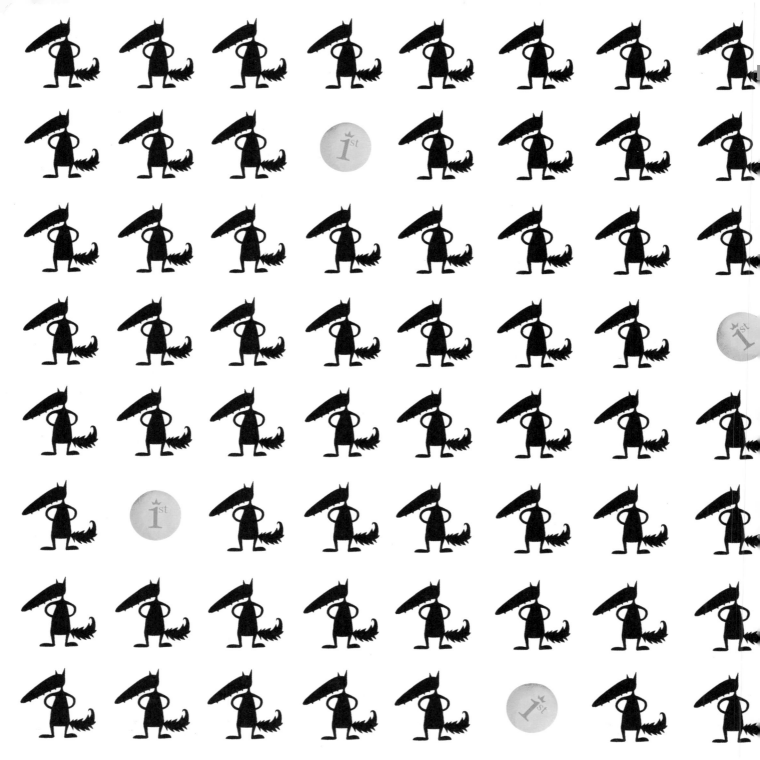